Originated from   *Date*

MW00833892

Ingredients

_____   _____

_____   _____

_____   _____

_____   _____

_____   _____

_____   _____

Instructions

_____

_____

_____

_____

_____

_____

_____

_____

_____

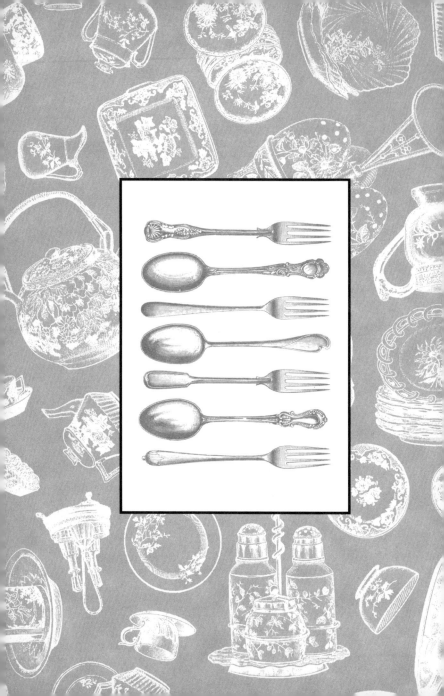

Recipe

Originated from   *Date*

Ingredients

_____   _____

_____   _____

_____   _____

_____   _____

_____   _____

_____   _____

Instructions

_____

_____

_____

_____

_____

_____

_____

_____

_____

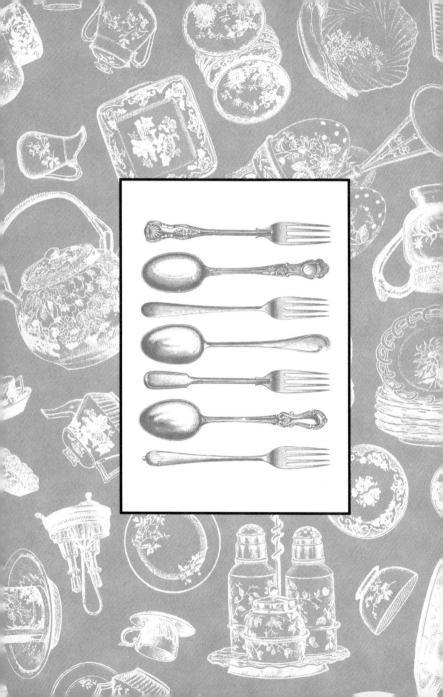

Recipe

Originated from   *Date*

Ingredients

_____   _____

_____   _____

_____   _____

_____   _____

_____   _____

Instructions

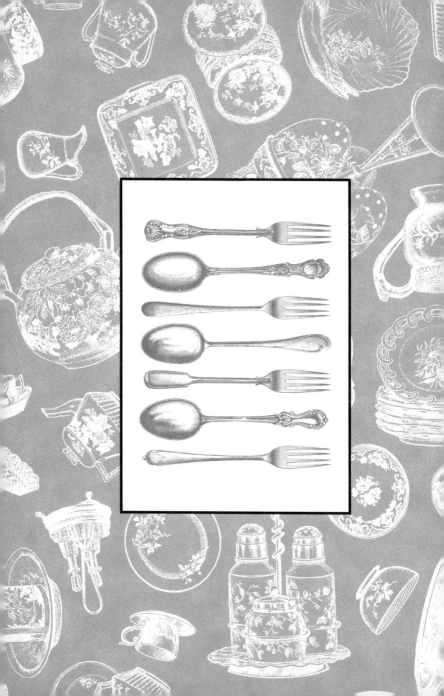

Recipe

Originated from   *Date*

Ingredients

_____   _____

_____   _____

_____   _____

_____   _____

_____   _____

_____   _____

Instructions

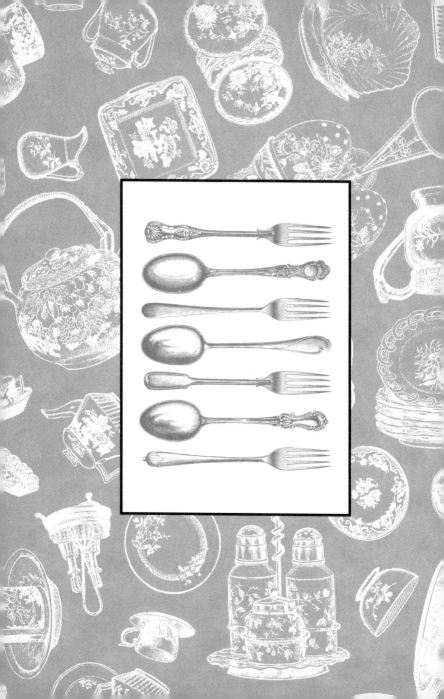

Recipe

Originated from   Date

Ingredients

_____   _____

_____   _____

_____   _____

_____   _____

_____   _____

_____   _____

Instructions

_____

_____

_____

_____

_____

_____

_____

_____

_____

Recipe

Originated from   **Date**

Ingredients

_____   _____

_____   _____

_____   _____

_____   _____

_____   _____

_____   _____

Instructions

_____

_____

_____

_____

_____

_____

_____

_____

_____

Recipe

Originated from   **Date**

Ingredients

_____   _____

_____   _____

_____   _____

_____   _____

_____   _____

_____   _____

Instructions

_____

_____

_____

_____

_____

_____

_____

_____

_____

Recipe

Originated from   Date

Ingredients

_____   _____

_____   _____

_____   _____

_____   _____

_____   _____

_____   _____

Instructions

_____

_____

_____

_____

_____

_____

_____

_____

_____

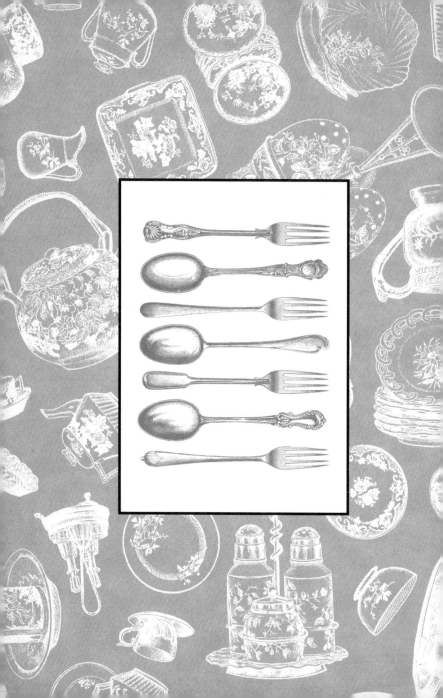

Recipe

Originated from   **Date**

Ingredients

_____   _____

_____   _____

_____   _____

_____   _____

_____   _____

_____   _____

Instructions

_____

_____

_____

_____

_____

_____

_____

_____

_____

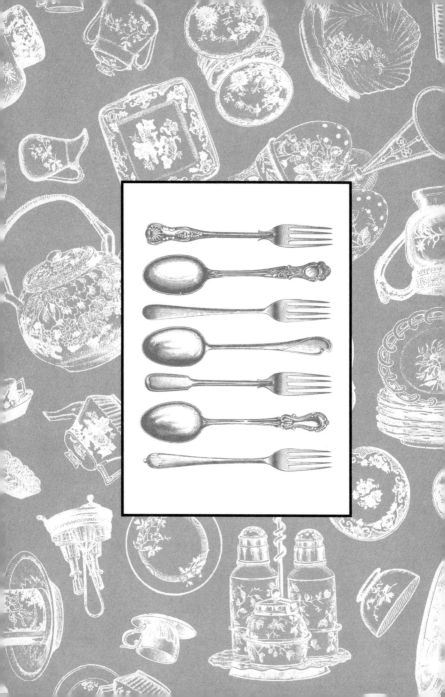

Recipe

Originated from   *Date*

Ingredients

_____   _____

_____   _____

_____   _____

_____   _____

_____   _____

_____   _____

_____   _____

Instructions

_____

_____

_____

_____

_____

_____

_____

_____

_____

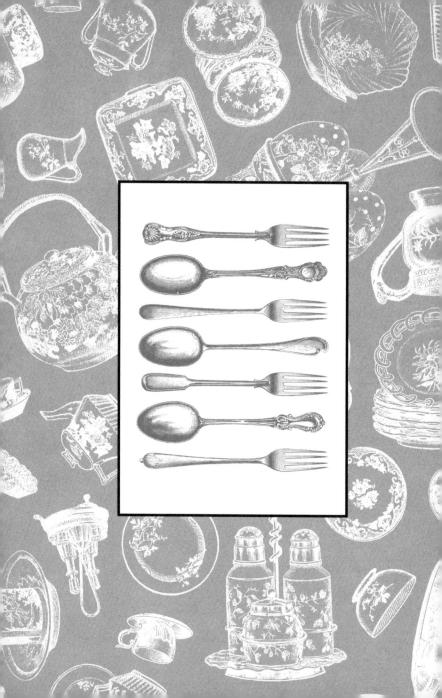

Recipe

Originated from _____   Date _____

Ingredients

_____   _____

_____   _____

_____   _____

_____   _____

_____   _____

_____   _____

Instructions

_____

_____

_____

_____

_____

_____

_____

_____

_____

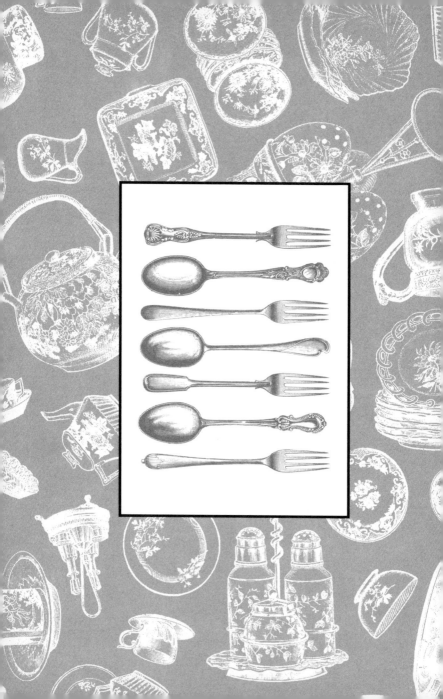

Recipe

Originated from   Date

Ingredients

_____   _____

_____   _____

_____   _____

_____   _____

_____   _____

_____   _____

Instructions

_____

_____

_____

_____

_____

_____

_____

_____

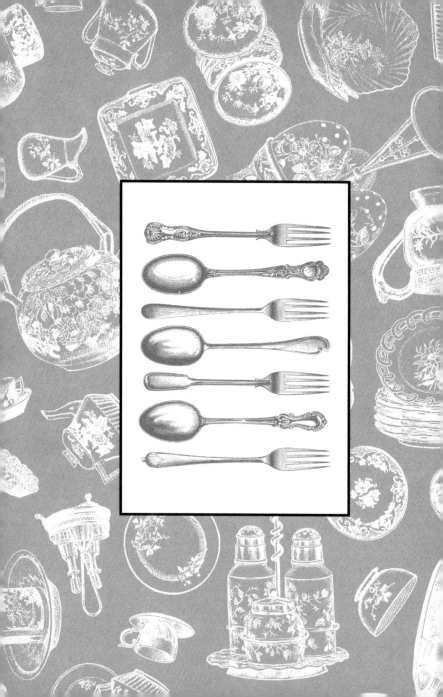

Recipe

Originated from   Date

Ingredients

_____   _____

_____   _____

_____   _____

_____   _____

_____   _____

_____   _____

Instructions

_____

_____

_____

_____

_____

_____

_____

_____

_____

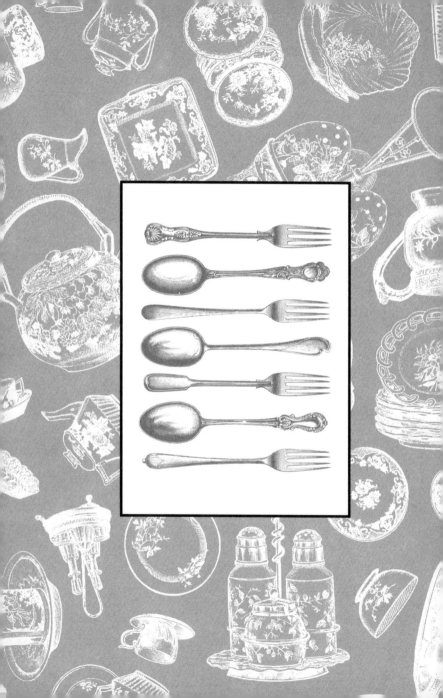

Recipe

Originated from   Date

Ingredients

_____   _____

_____   _____

_____   _____

_____   _____

_____   _____

Instructions

_____

_____

_____

_____

_____

_____

_____

_____

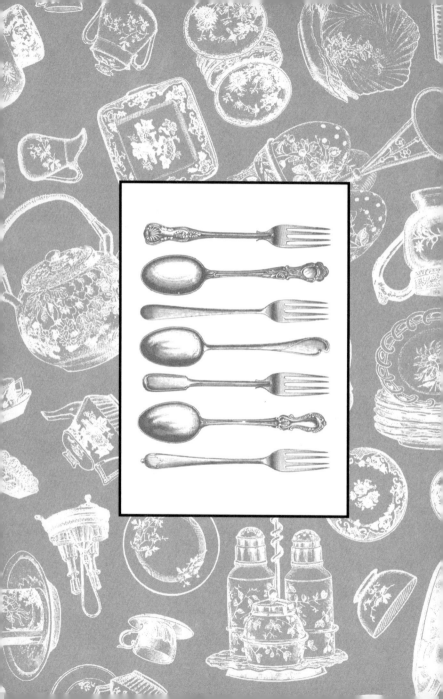

Recipe

Originated from   Date

Ingredients

Instructions

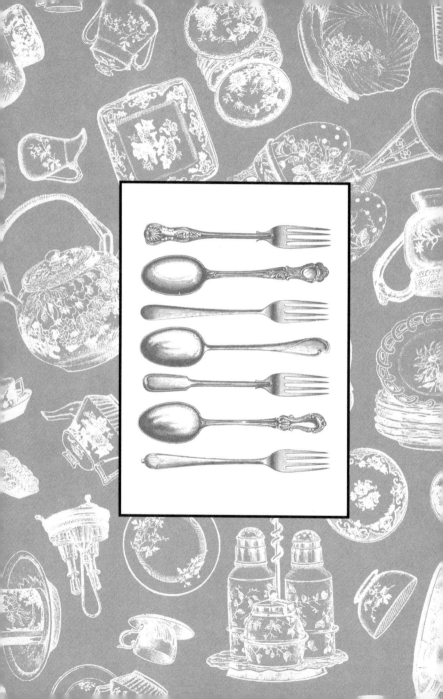

Recipe

Originated from   Date

Ingredients

_____   _____

_____   _____

_____   _____

_____   _____

_____   _____

Instructions

_____

_____

_____

_____

_____

_____

_____

_____

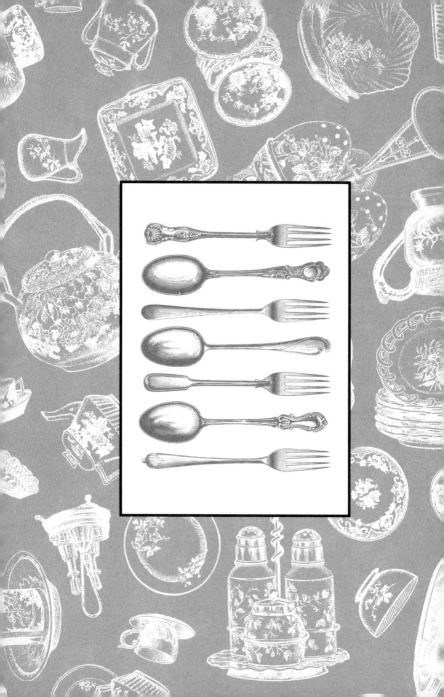

Recipe

Originated from   Date

Ingredients

_____   _____
_____   _____
_____   _____
_____   _____
_____   _____
_____   _____

Instructions

_____
_____
_____
_____
_____
_____
_____
_____
_____

B
R
E
A
D
S

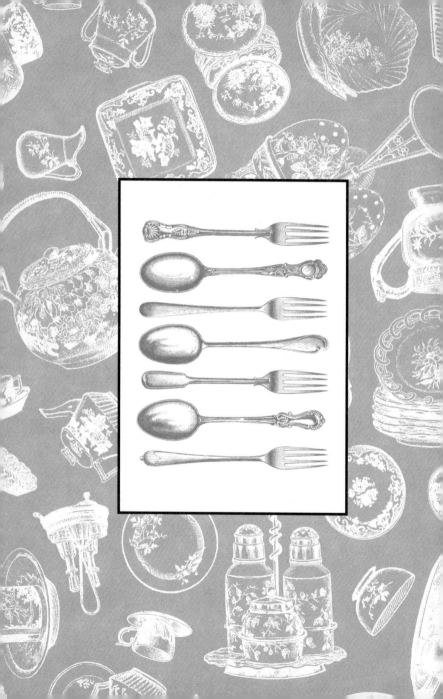

Recipe

Originated from   Date

Ingredients

_____   _____

_____   _____

_____   _____

_____   _____

_____   _____

_____   _____

Instructions

_____

_____

_____

_____

_____

_____

_____

_____

_____

B
R
E
A
D
S

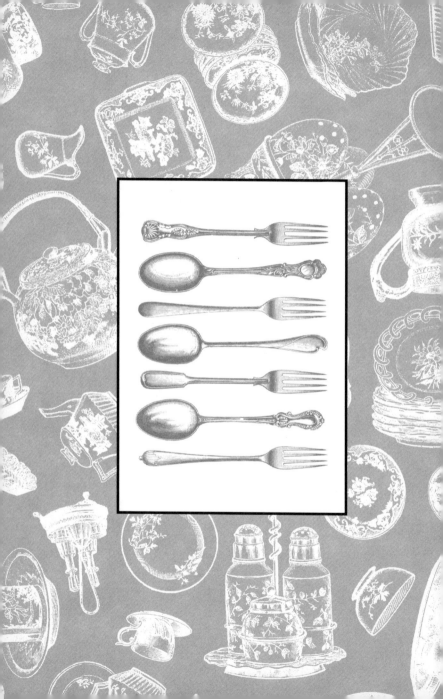

Recipe

Originated from _____ Date _____

Ingredients

_____   _____

_____   _____

_____   _____

_____   _____

_____   _____

_____   _____

Instructions

_____

_____

_____

_____

_____

_____

_____

_____

_____

B
R
E
A
D
S

Recipe

Originated from   Date

Ingredients

Instructions

Recipe

Originated from   **Date**

Ingredients

_____   _____

_____   _____

_____   _____

_____   _____

_____   _____

_____   _____

Instructions

_____

_____

_____

_____

_____

_____

_____

_____

_____

_____

Recipe

Originated from   Date

Ingredients

_____   _____
_____   _____
_____   _____
_____   _____
_____   _____
_____   _____

Instructions

_____
_____
_____
_____
_____
_____
_____
_____

BREADS

Recipe

Originated from   Date

Ingredients

_____   _____
_____   _____
_____   _____
_____   _____
_____   _____
_____   _____

Instructions

_____
_____
_____
_____
_____
_____
_____
_____
_____

Recipe

Originated from

Date

Ingredients

_____   _____
_____   _____
_____   _____
_____   _____
_____   _____
_____   _____

Instructions

_____
_____
_____
_____
_____
_____
_____
_____

BREADS

Recipe

Originated from   Date

Ingredients

_____   _____

_____   _____

_____   _____

_____   _____

_____   _____

_____   _____

Instructions

_____

_____

_____

_____

_____

_____

_____

_____

Recipe

Originated from _____   Date _____

Ingredients

_____   _____

_____   _____

_____   _____

_____   _____

_____   _____

Instructions

_____

_____

_____

_____

_____

_____

_____

_____

Recipe

Originated from _____   **Date** _____

Ingredients

_____   _____
_____   _____
_____   _____
_____   _____
_____   _____
_____   _____

Instructions

_____
_____
_____
_____
_____
_____
_____
_____
_____

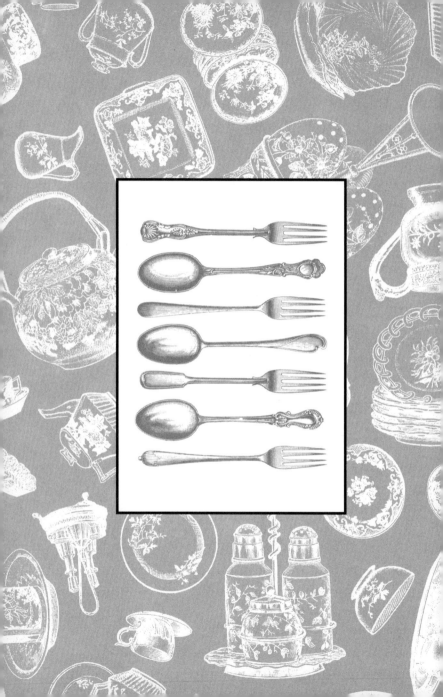

Recipe

Originated from

Date

Ingredients

Instructions

Recipe

Originated from   *Date*

Ingredients

_____   _____

_____   _____

_____   _____

_____   _____

_____   _____

_____   _____

Instructions

_____

_____

_____

_____

_____

_____

_____

_____

_____

MAIN DISHES

Recipe

Originated from   **Date**

Ingredients

_____   _____

_____   _____

_____   _____

_____   _____

_____   _____

_____   _____

Instructions

_____

_____

_____

_____

_____

_____

_____

_____

Recipe

Originated from

Date

Ingredients

_____   _____

_____   _____

_____   _____

_____   _____

_____   _____

_____   _____

Instructions

_____

_____

_____

_____

_____

_____

_____

_____

_____

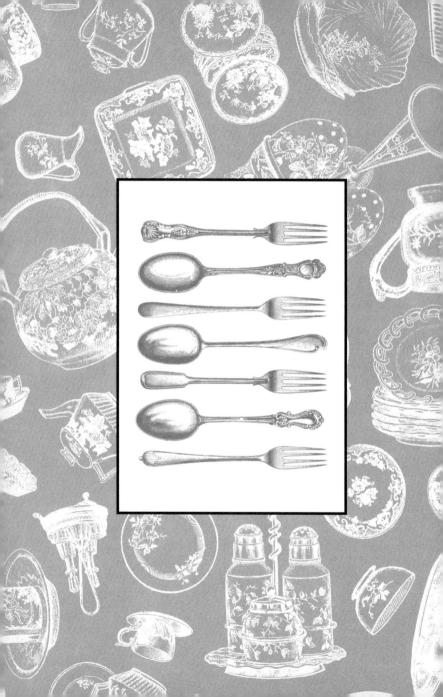

Recipe

Originated from   Date

Ingredients

_____   _____

_____   _____

_____   _____

_____   _____

_____   _____

_____   _____

Instructions

_____

_____

_____

_____

_____

_____

_____

_____

Recipe

Originated from   **Date**

Ingredients

_____   _____
_____   _____
_____   _____
_____   _____
_____   _____
_____   _____

Instructions

_____
_____
_____
_____
_____
_____
_____
_____
_____

Recipe

Originated from   Date

Ingredients

_____   _____
_____   _____
_____   _____
_____   _____
_____   _____
_____   _____

Instructions

_____
_____
_____
_____
_____
_____
_____
_____
_____

VEGETABLES

Recipe

Originated from   Date

Ingredients

_____   _____

_____   _____

_____   _____

_____   _____

_____   _____

_____   _____

Instructions

_____

_____

_____

_____

_____

_____

_____

_____

VEGETABLES

Recipe

Originated from   Date

Ingredients

_____   _____

_____   _____

_____   _____

_____   _____

_____   _____

_____   _____

Instructions

_____

_____

_____

_____

_____

_____

_____

_____

_____

VEGETABLES

Recipe

Originated from

Date

Ingredients

_____   _____

_____   _____

_____   _____

_____   _____

_____   _____

_____   _____

Instructions

_____

_____

_____

_____

_____

_____

_____

_____

_____

VEGETABLES

Recipe

Originated from   Date

Ingredients

_____   _____
_____   _____
_____   _____
_____   _____
_____   _____
_____   _____

Instructions

_____
_____
_____
_____
_____
_____
_____
_____

VEGETABLES

Recipe

Originated from   **Date**

Ingredients

_____   _____
_____   _____
_____   _____
_____   _____
_____   _____

Instructions

_____
_____
_____
_____
_____
_____
_____
_____

VEGETABLES

Recipe

Originated from   Date

Ingredients

_____   _____

_____   _____

_____   _____

_____   _____

_____   _____

_____   _____

Instructions

_____

_____

_____

_____

_____

_____

_____

_____

V
E
G
E
T
A
B
L
E
S

Recipe

Originated from   **Date**

Ingredients

_____   _____
_____   _____
_____   _____
_____   _____
_____   _____
_____   _____

Instructions

_____
_____
_____
_____
_____
_____
_____
_____
_____

S
I
D
E
S

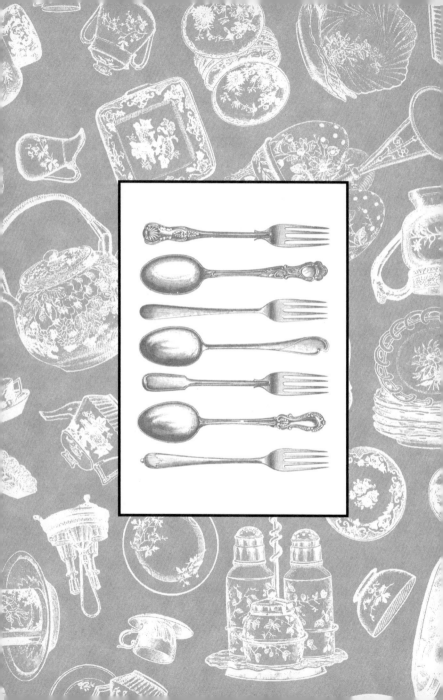

Recipe

Originated from   **Date**

Ingredients

_____   _____
_____   _____
_____   _____
_____   _____
_____   _____
_____   _____

Instructions

_____
_____
_____
_____
_____
_____
_____
_____

SIDES

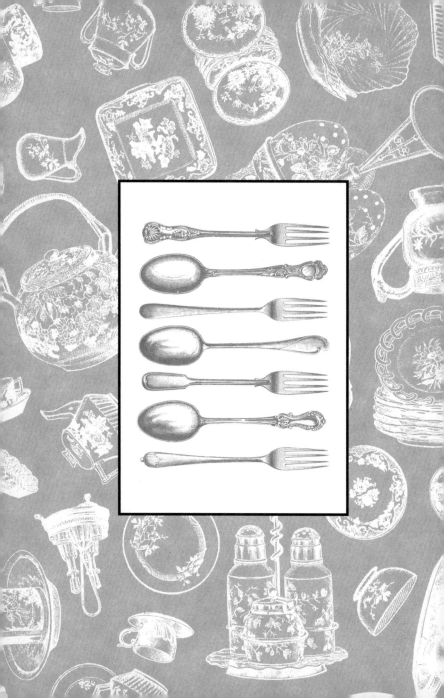

Recipe

Originated from   Date

Ingredients

_____   _____

_____   _____

_____   _____

_____   _____

_____   _____

_____   _____

_____   _____

Instructions

_____

_____

_____

_____

_____

_____

_____

_____

S
I
D
E
S

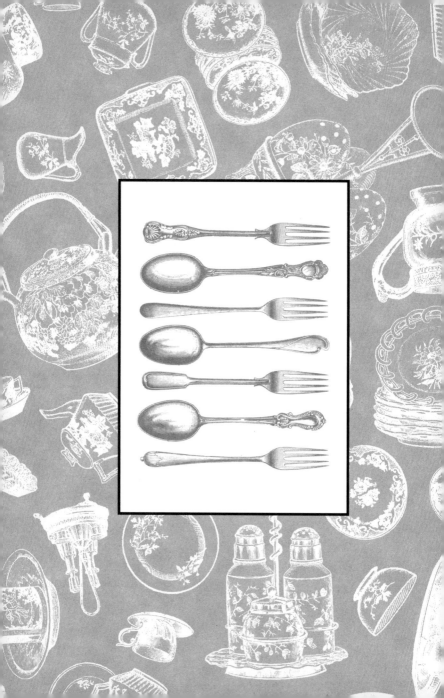

Recipe

Originated from   Date

Ingredients

_____   _____
_____   _____
_____   _____
_____   _____
_____   _____
_____   _____
_____   _____

Instructions

_____
_____
_____
_____
_____
_____
_____
_____
_____

S
I
D
E
S

Recipe

Originated from   Date

Ingredients

Instructions

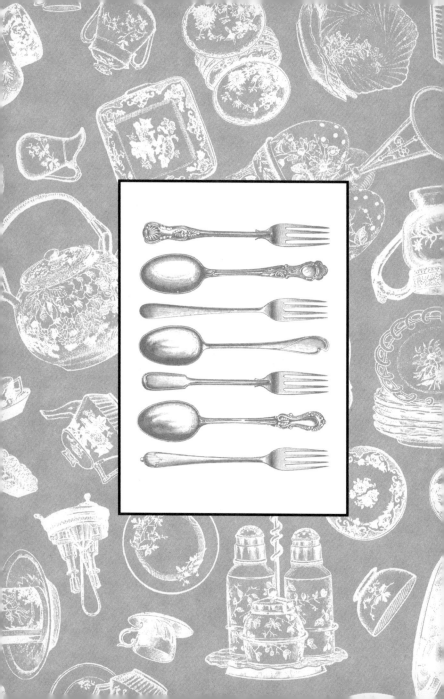

Recipe

Originated from   **Date**

Ingredients

_____   _____
_____   _____
_____   _____
_____   _____
_____   _____
_____   _____
_____   _____

Instructions

_____
_____
_____
_____
_____
_____
_____
_____
_____
_____

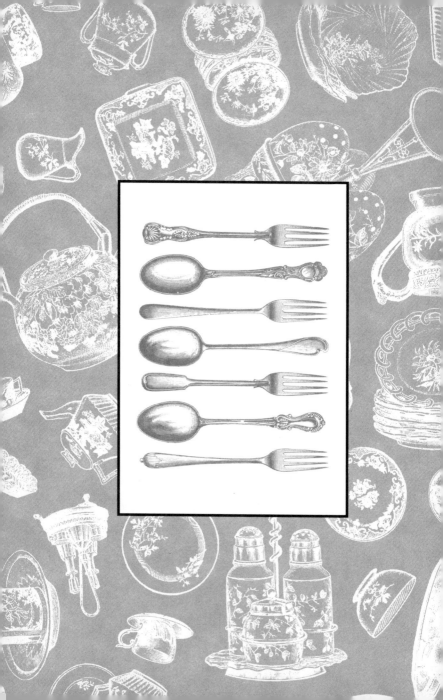

Recipe

Originated from _____ **Date** _____

Ingredients

_____ • _____
_____   _____
_____   _____
_____   _____
_____   _____
_____   _____
_____   _____

Instructions

_____
_____
_____
_____
_____
_____
_____
_____
_____
_____

SIDES

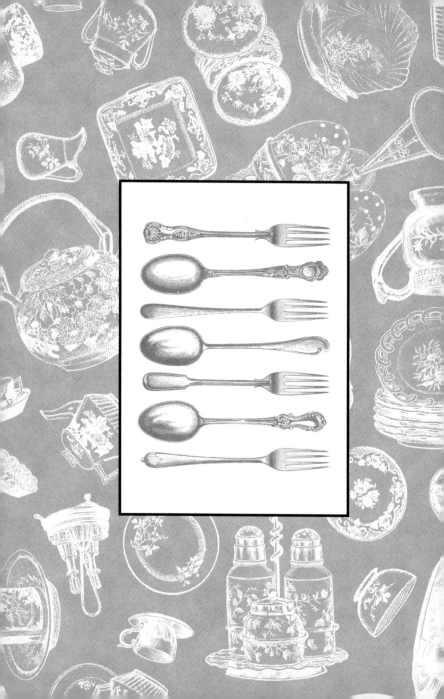

Recipe

Originated from   **Date**

Ingredients

_____   _____
_____   _____
_____   _____
_____   _____
_____   _____
_____   _____

Instructions

_____
_____
_____
_____
_____
_____
_____
_____

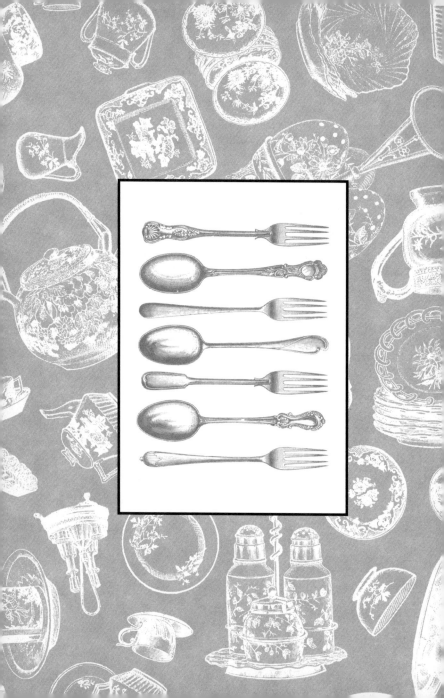

Recipe

Originated from   **Date**

Ingredients

_____   _____

_____   _____

_____   _____

_____   _____

_____   _____

_____   _____

Instructions

_____

_____

_____

_____

_____

_____

_____

_____

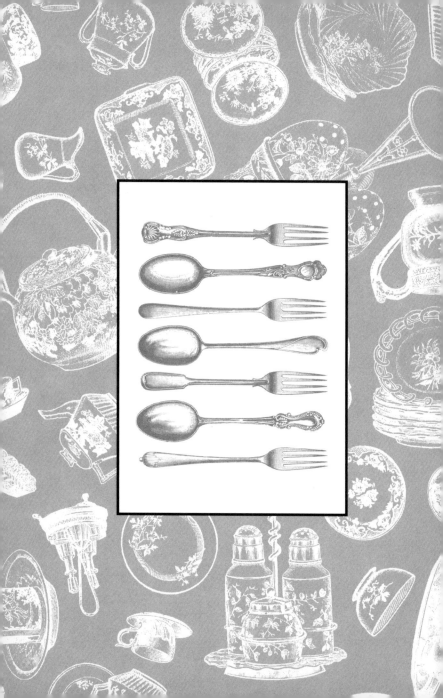

Recipe

Originated from   Date

Ingredients

_____   _____
_____   _____
_____   _____
_____   _____
_____   _____
_____   _____

Instructions

_____
_____
_____
_____
_____
_____
_____
_____

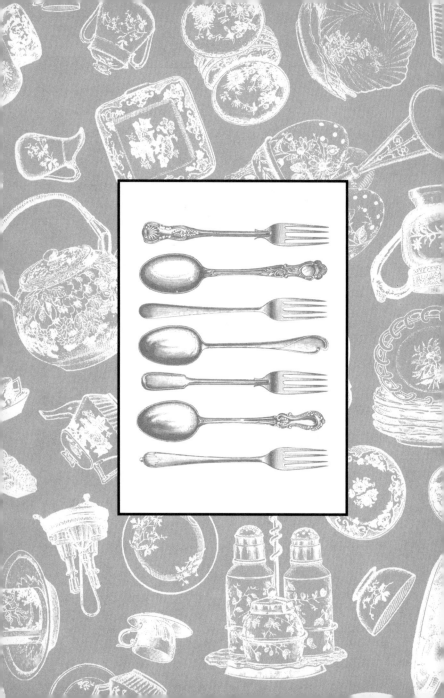

Recipe

Originated from _____ Date _____

Ingredients

_____	_____
_____	_____
_____	_____
_____	_____
_____	_____
_____	_____
_____	_____

Instructions

_____

_____

_____

_____

_____

_____

_____

_____

_____

DESSERTS

Recipe

Originated from   **Date**

Ingredients

_____   _____
_____   _____
_____   _____
_____   _____
_____   _____
_____   _____

Instructions

_____
_____
_____
_____
_____
_____
_____
_____

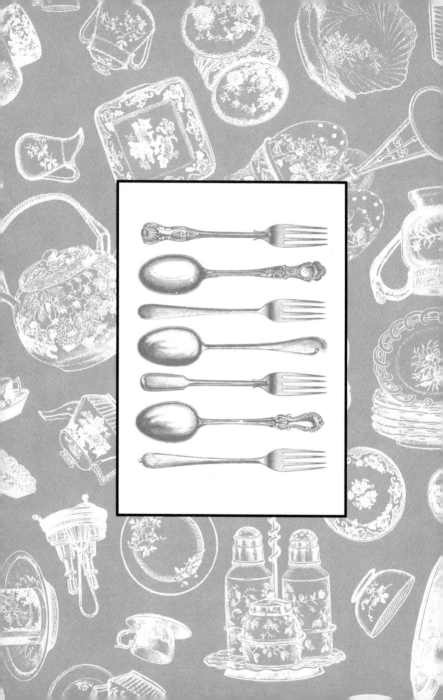

Recipe

Originated from   Date

Ingredients

_____   _____
_____   _____
_____   _____
_____   _____
_____   _____
_____   _____

Instructions

_____
_____
_____
_____
_____
_____
_____
_____

DESSERTS

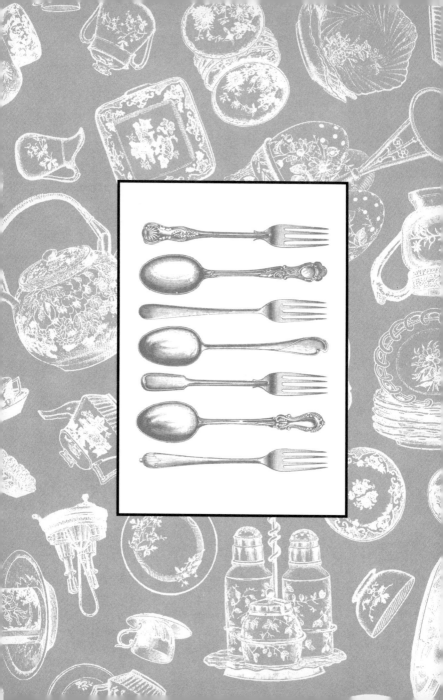

Recipe

Originated from   Date

Ingredients

_____   _____

_____   _____

_____   _____

_____   _____

_____   _____

_____   _____

Instructions

_____

_____

_____

_____

_____

_____

_____

_____

DESSERTS

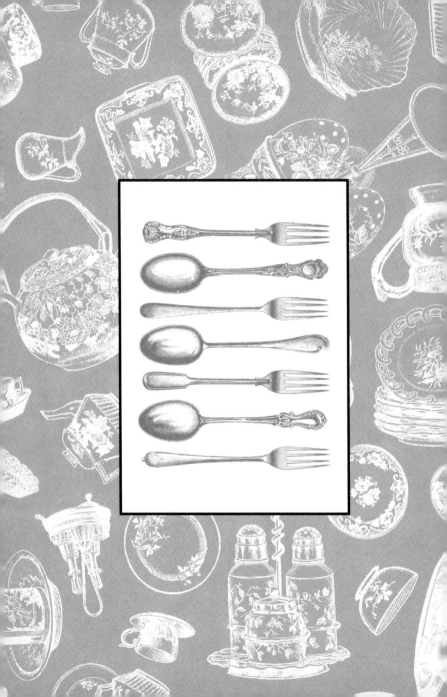

Recipe

Originated from   **Date**

Ingredients

_____   _____

_____   _____

_____   _____

_____   _____

_____   _____

_____   _____

Instructions

_____

_____

_____

_____

_____

_____

_____

_____

_____

D
E
S
S
E
R
T
S

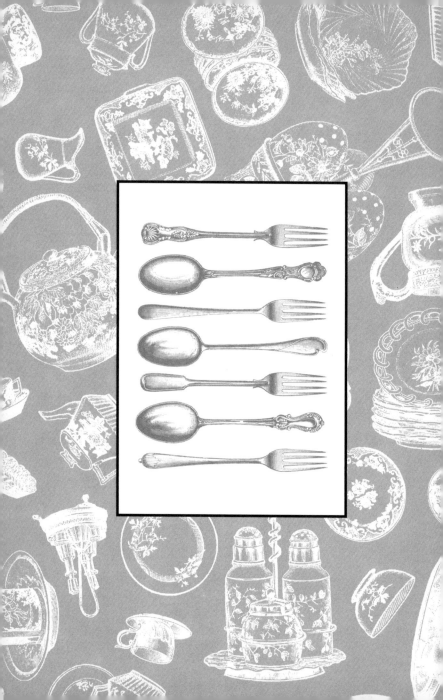

Recipe

Originated from   Date

Ingredients

_____   _____

_____   _____

_____   _____

_____   _____

_____   _____

_____   _____

Instructions

_____

_____

_____

_____

_____

_____

_____

_____

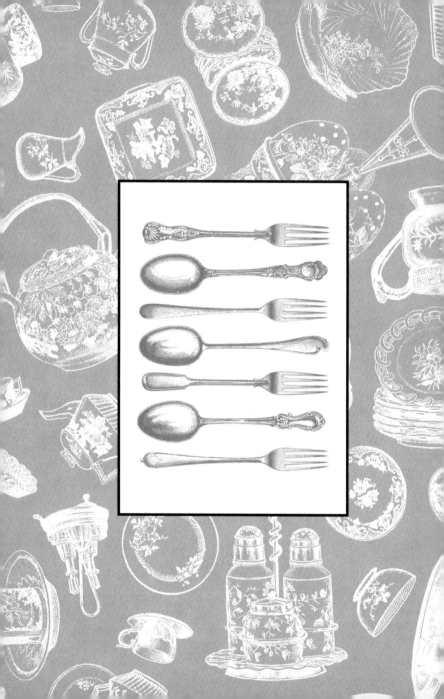

Recipe

Originated from

Date

Ingredients

_____   _____
_____   _____
_____   _____
_____   _____
_____   _____
_____   _____

Instructions

_____
_____
_____
_____
_____
_____
_____
_____

OTHER

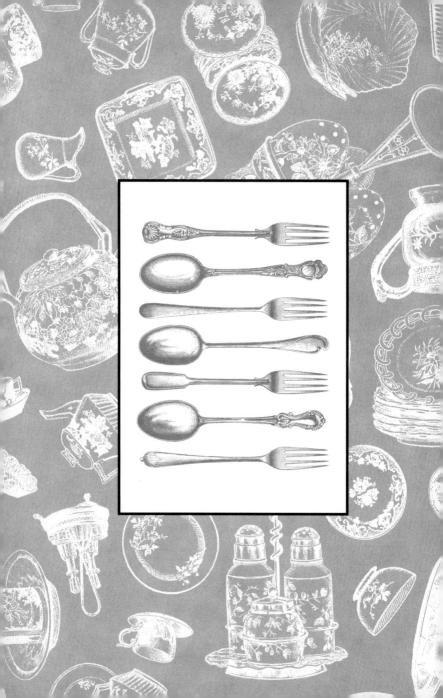

Recipe

Originated from   *Date*

Ingredients

_____   _____

_____   _____

_____   _____

_____   _____

_____   _____

_____   _____

Instructions

_____

_____

_____

_____

_____

_____

_____

_____

_____

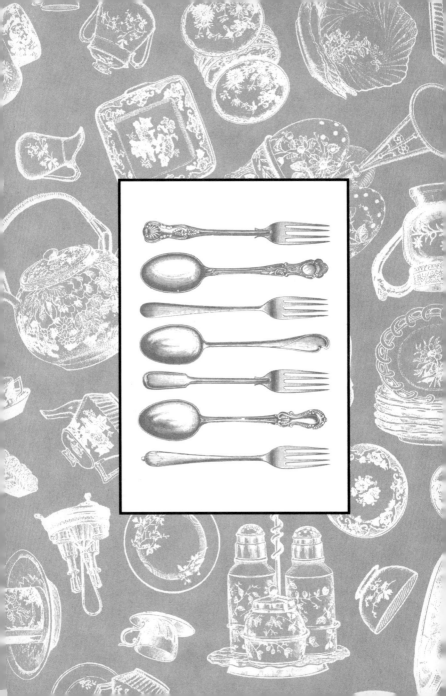

Recipe

Originated from   Date

Ingredients

_____   _____

_____   _____

_____   _____

_____   _____

_____   _____

_____   _____

Instructions

_____

_____

_____

_____

_____

_____

_____

_____

_____

OTHER

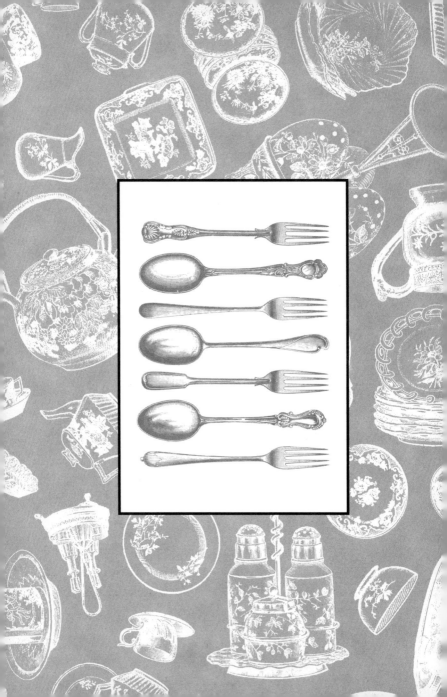

Recipe

Originated from _____   Date _____

Ingredients

_____   _____

_____   _____

_____   _____

_____   _____

_____   _____

_____   _____

Instructions

_____

_____

_____

_____

_____

_____

_____

_____

OTHER

Recipe

Originated from   Date

Ingredients

_____   _____

_____   _____

_____   _____

_____   _____

_____   _____

_____   _____

Instructions

_____

_____

_____

_____

_____

_____

_____

_____

_____

O
T
H
E
R

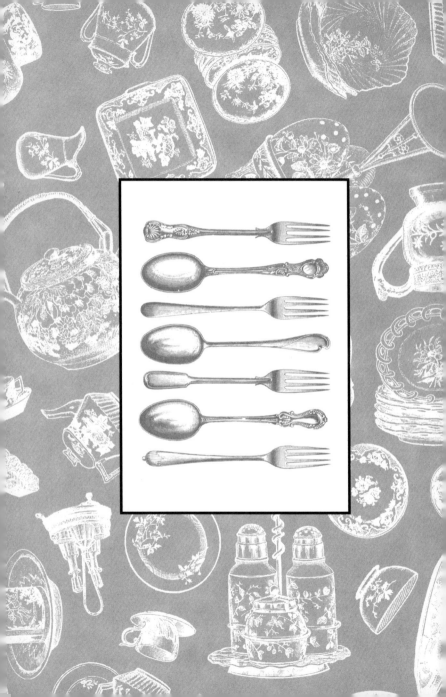

Recipe

Originated from   Date

Ingredients

_____   _____
_____   _____
_____   _____
_____   _____
_____   _____
_____   _____

Instructions

_____
_____
_____
_____
_____
_____
_____
_____
_____

OTHER

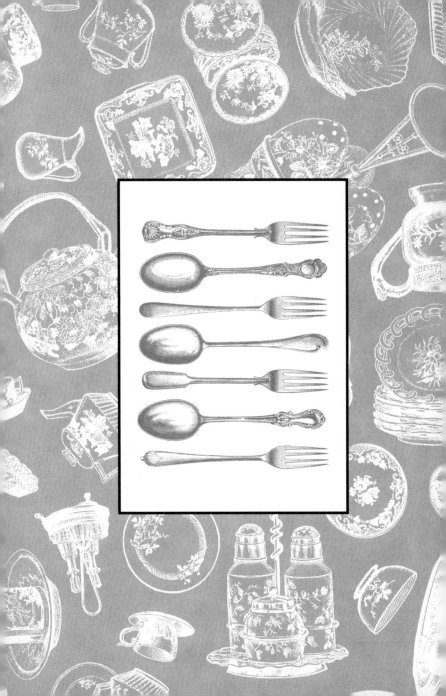

Recipe

Originated from   Date

Ingredients

_____   _____
_____   _____
_____   _____
_____   _____
_____   _____
_____   _____

Instructions

_____
_____
_____
_____
_____
_____
_____
_____

OTHER

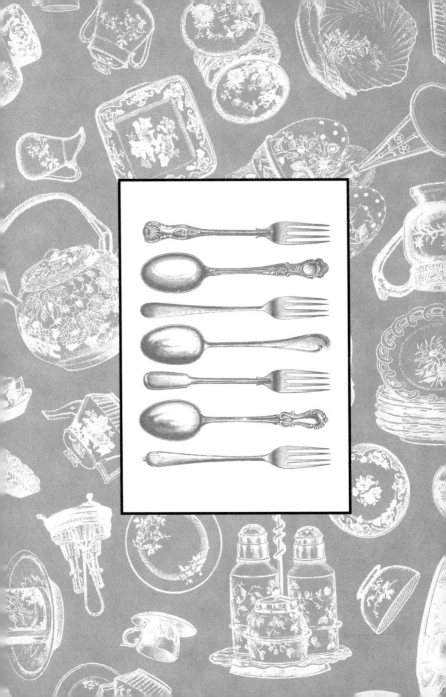

Recipe

Originated from   Date

Ingredients

_____   _____

_____   _____

_____   _____

_____   _____

_____   _____

_____   _____

Instructions

_____

_____

_____

_____

_____

_____

_____

_____

O
T
H
E
R

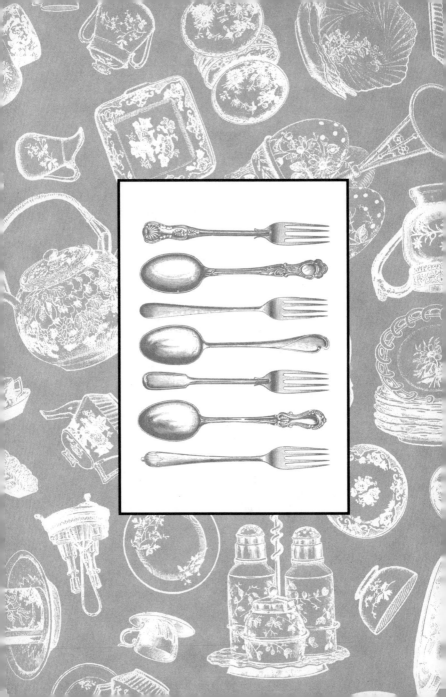